プランター（鉢）に
うえかえる
花がさいて、
実がなる
実が赤くなったら
しゅうかく

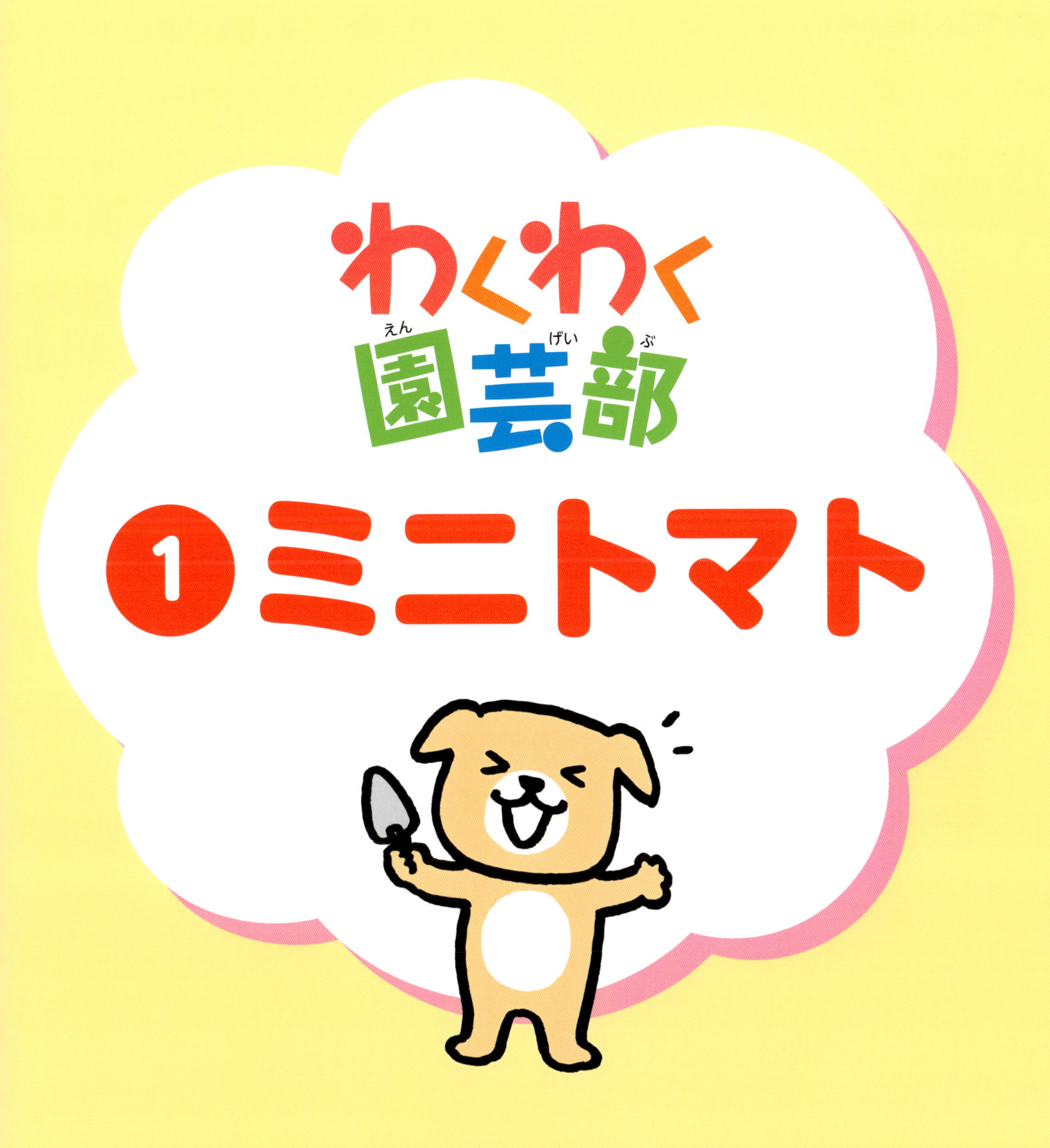

清水俊英［著］

誠文堂新光社

はじめに

みなさんが食べている野菜やくらしをいろどってくれる花は、すべて植物です。植物はじんるいが生まれた時にはすでに「ちきゅうのせんぱい」として生きていました。
この本は、そんなちきゅうのせんぱいである植物をさいばいしながら、そだてる楽しさ、いのちの大切さ、植物のふしぎをかんじてもらうために作りました。
さいばいには、ほんの少しのコツとかんさつのポイントがあります。
それさえまもれば、いままでそだてたことのない君も、うまくそだてられるぞ！
さあ、さいばいにチャレンジして、かんさつしながら、植物のふしぎをのぞいてみよう。

この本の使い方

日数 タネまきから何日目かをしめしている。

さいばいについて このページではさいばいについて、どんなおせわがいるのかまとめているよ。

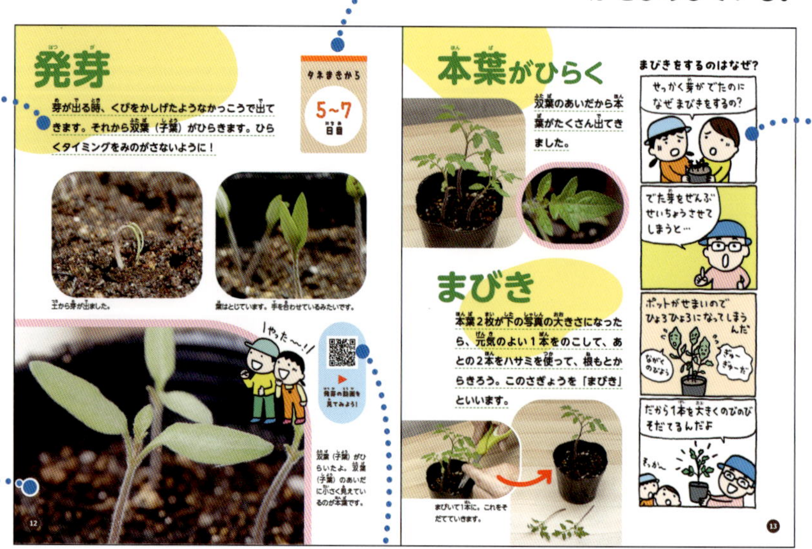

マンガ さいばいやかんさつのポイント、植物のふしぎをマンガでしょうかいしているよ。

写真 道具やおせわのやりかたが写真でわかりやすい。

QRコード けいたいやタブレットでQRコードをよみこむと、植物の動画を見ることができる。

もくじ

わくわく園芸部へようこそ!

ミニトマトさいばいのながれ
苗が大きくなったら
プランターにうえかえて
しちゅうを立てたり
いろいろなことが
待っているよ
ゴロゴロ
毎日よくかんさつすると…
キャー
植物のふしぎが
見えてくるんだ!!
たのしい〜
やって
みたい!
そしてピカピカの
実ができたら…
いっぱい食べよう〜!
おーっ!!

さいばいのじゅんび

ミニトマトのタネをまいて、プランター（鉢）でさいばいします。さいばいで使う道具をそろえましょう。写真とおなじものでなくても、みぢかなものをかわりに使ってみてもよいでしょう。

じゅんびするもの

タネ

タネは、ホームセンターや園芸店でかうことができます。この本では、くきが長くのびるタイプのミニトマトをそだてます。わからなければ、お店の人に聞いてみましょう。

ポット

ミニトマトはポットにタネをまいて苗を作ってから、プランターにうえかえます。直径10.5㎝ほどの大きさのポットをえらびます。

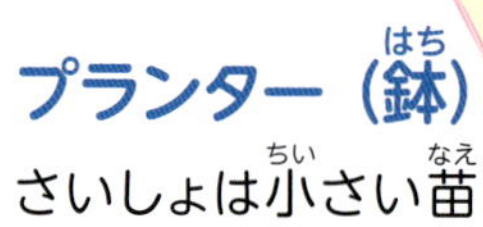

プランター（鉢）

さいしょは小さい苗もやがて大きくなるので、土が10～15L入るものをよういしましょう。

土（培養土）

土は「野菜さいばい用の土」を使います。水はけがよく、ほすいせい（土の中に水分をたもつこと）があり、ひりょうも少し入っています。15～20Lよういします。

ひりょう

米つぶほどの大きさ（粒状）の化成肥料をよういしましょう。さいばいがおわるまでに、1本のミニトマトに100gほどあればたります。200g入りや1kg入りをよういします。

ばしょ

日あたりがよい、南東～南向きにひらけたばしょでそだてます。日あたりがわるいと、よく成長しません。また、風とおしがよいばしょの方が、虫や病気のひがいが少ないです。

ふくそう

日よけのためにぼうしをかぶって、長そでのシャツなどで作業します。また、土よごれが気になる人は、ぐんてやビニール手ぶくろをしましょう。

シャベルなど

シャベルは、うえつけで使います。また、土のふくろからポットに土をうつす時には、シャベルより、写真右のようなカップ状の道具があるとべんりです。

しちゅう・かりしちゅう

植物をささえるぼうをしちゅうといいます。植物のせいちょうに合わせて、しちゅうを長くしていきます。植物のせたけが低い時は、60~80cm のかりしちゅうを立てます。大きくなってきたら、150cm ほどのしちゅうを立てます。

ジョウロ

ジョウロは2L ほどのものをよういします。ハス口（水が出るところ）にゴミがつまりやすいので、とりはずしできるものがよいでしょう。

ひも

トマトの茎としちゅうをとめます。あさひもが使いやすいです。

かんさつのこころえ

大切なことは、毎日かんさつをすることです。かんさつすることで、植物のへんかがわかり、おせわをするポイントもわかってきます。

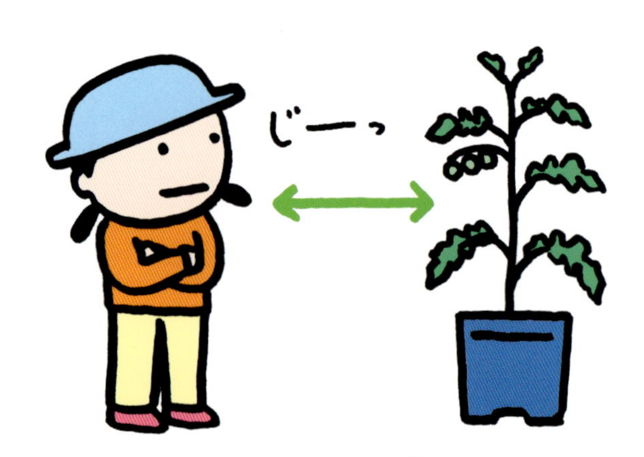

はなれてぜんたいを見る

植物ぜんたいがどのようなかたちになっているか、はなれて見てみましょう。くきがのびたり、葉が大きくなるという大きなへんかがわかります。

ちかくでかんさつする

植物がせいちょうする時、さいしょは小さなへんかからはじまります。虫メガネを使うと、植物の毛を見ることができるかもしれません。

色でわかる植物のサイン

色のかんさつをしましょう。たとえば、葉や実の色のへんかで成長がわかります。

虫や病気がないかもチェック

かんさつしながら、虫や病気もチェックしましょう。葉のうらなど、見えにくいところもしっかり見ます。

きろく

毎日のようすを文や絵、写真できろくしよう。前の日とくらべて、どのようなへんかがあったか、どんなおせわをしたかもきろくしましょう。

1 植物のへんかをきろくする

芽が出る、双葉がひらく、本葉が出る、つぼみがつく、花がさく、実が色づくなどのへんかがあったらきろくしよう。

2 かずをかぞえる

葉がなんまいあるか、せの高さは何 cm かをきろくします。実のかずもチェックしましょう。

3 植物のようすをきろくする

風で葉がおれてしまった、葉の色がうすくなった、虫やびょうきが出たなど、小さなへんかもメモしよう。

4 おせわ

水やひりょうをあたえたらきろくしましょう。おせわをしたら、ミニトマトがどのようにへんかしたかかんさつします。

タネをまこう

10.5㎝のポットに土を入れて、タネをまきます。ポットで苗の大きさまでそだてて、そのあと大きなプランター（鉢）にうえかえます。

タネを見てみよう

拡大

ふくろからタネを出して、かんさつしてみよう。タネの大きさもはかってみよう。

タネぶくろ（おもて）

ミニトマトは、せの低いもの、高いもの、実も丸やだえんなどいろいろなかたちがあります。

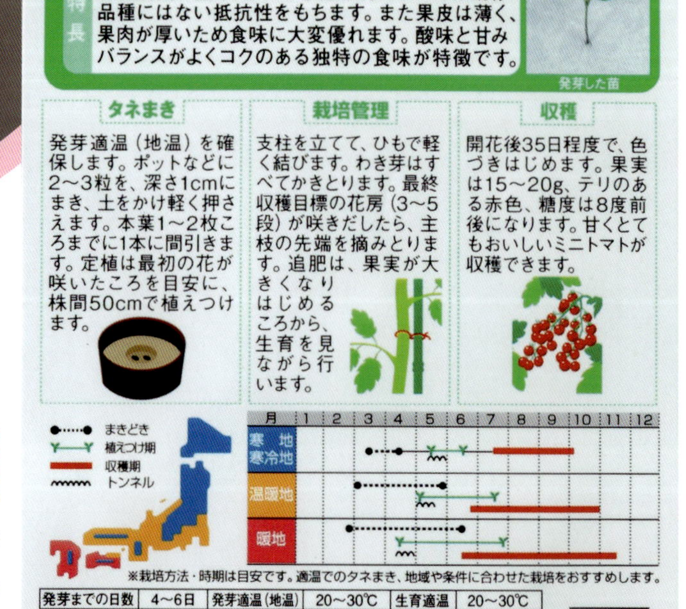

タネぶくろ（うら）

タネぶくろのうらには、たくさんのじょうほうがのっています。タネまきのじきや、おんどもかいてあります。

タネまき

1 ポットに土を入れる

土はポットのふちから5mmくらい下まで入れます。水やりをした時に、あふれないようにするためだよ。

2 あなをあける

ゆびで土の表面に、3つのあなをあけます。ふかさは0.5～1cmくらいです。

3 タネをまく

あなに1つぶずつタネをまいて、土を5mmくらいかぶせます。

4 土をかるくおさえる

土の表面をかるくおさえて、水やりなどでタネがながれてしまわないようにしよう。

5 水をやる

ジョウロでやさしく水をまこう。タネまきの時は、きりふきなどを使ってもよいでしょう。

タネをたくさんまくのはなぜ？

タネは生き物だから、まいたものすべてが発芽するとはかぎらないぞ。そのため、1ポットに2～3つぶのタネをまきます。植物をタネからそだてる時の大切なポイントだよ。

※タネまきがまに合わなかったり、苗作りがうまくいかなかった時は、4～5月ごろにお店で苗をかって、14ページのうえつけからさいばいをはじめることができます。

発芽

芽が出る時、くびをかしげたようなかっこうで出てきます。それから双葉（子葉）がひらきます。ひらくタイミングをみのがさないように！

土から芽が出ました。

葉はとじています。手を合わせているみたいです。

▶ 発芽の動画を見てみよう！

双葉（子葉）がひらいたよ。双葉のあいだに小さく見えているのが本葉です。

本葉がひらく

双葉のあいだから本葉がたくさん出てきました。

まびきをするのはなぜ？

せっかく芽がでたのに
なぜまびきをするの？

でた芽をぜんぶ
せいちょうさせて
しまうと…

ポットがせまいので
ひょろひょろになってしまうんだ
ながくのびよう
ぎゅーぎゅーだ

だから1本を大きくのびのび
そだてるんだよ
そっか～

まびき

本葉２枚が下の写真の大きさになったら、元気のよい１本をのこして、あとの２本をハサミを使って、根もとからきろう。このさぎょうを「まびき」といいます。

まびいて1本に。これをそだてていきます。

うえつけ

本葉が6～8枚になったら、プランターにうえかえをします。土が10Lいじょう入るプランターをよういしましょう。

タネまきから
55~65
日目

1 プランター(鉢)に土を入れる

プランターのふちから3cmほど下まで、土を入れます。

2 あなをあける

苗の根が入る大きさのあなをあけます。

3 かりおき

苗をポットのままおいて、あなの大きさとうえるばしょをかくにんします。

4 苗をおさえる

かた手をピースサインにして、苗の茎をやさしくはさんで土をおさえよう。

5 苗をポットからはずす

苗をさかさまにして、葉や茎をおらないように気をつけながら、ポットをはずします。

6 うえる

ポットをはずした苗の土がばらばらにならないように、上下をもとにもどします。プランターのあなにおいて、まわりから土をかけよう。

7 水をあげる

苗がグラグラしないように、しっかりと土をおさえます。ジョウロを使って、プランターのそこから水が出てくるまであげます。

かりしちゅうを立てよう

1 かりしちゅうを立てる

長さが60～80cmくらいのかりしちゅうを立てよう。かりしちゅうはミニトマトの茎から2cmくらいはなしてまっすぐに立てよう。

2 ひもをかける

まずはミニトマトの茎にひもをかけます。葉や茎をおらないように、ちゅういしよう。

3 1回むすぶ

ミニトマトの茎のまわりでひもをゆるく1回むすびます。直径1cmほどのわを作ります。

4 しちゅうにむすぶ

ミニトマトとしちゅうをとめるために、ひもをかりしちゅうにむすびつけます。

5 ちょうちょむすびにする

ひもははずすこともあるので、ちょうちょむすびにします。

ゆういん

ゆういんとは、しちゅうとミニトマトの茎をひもを使ってむすぶことです。かりしちゅうにそって、ミニトマトがのびていきます。あさひもがつかいやすいよ。

毎日のおせわ 水やり

ミニトマトは水がないとかれてしまうよ。タネまきから発芽までは、土をかわかさないように。発芽したら、土の表面がかわいたらやります。

さいばい中のおせわ

毎日ミニトマトのおせわをします。水をやったり、ひりょうをあげたり、ほかにもいろいろなおせわがあります。

ひりょう

つぶのひりょう（化成肥料）を使います。プランターにうえつけたら、だいたい2週間に1回、ティースプーン1杯ほどを根もとから少しはなれたところにばらまきます。

しちゅう

苗が、かりしちゅうの高さまで大きくなったら、長いしちゅうにかえます。長さ150㎝太さ1㎝くらいのものを茎から3～4㎝はなしてたてます。

成長にあわせてゆういん

長いしちゅうにしたら、ミニトマトが大きくなるのにあわせて、15cm ほどのかんかくでひもでとめると、たおれにくくなります。

台風がくる時は、前もって家の中やたおれにくいところへ、プランターをうごかしておこう。

芽かきは大切なおせわ

わき芽をとる（芽かき）

写真の正面になめに出ているのがわき芽です。小さいうちにゆびでおってとります。

芽かきご

わき芽がなくなってスッキリしたね。

芽かきしたわき芽

とったわき芽もかんさつしよう。茎の先とかたちがにているね。本葉をまちがえてとらないように気をつけよう。

花がさいた

タネまきから
50~70
日目

きいろい花がさきました！　花びらのまん中に、ふくろのようなものがついています。がくもあります。どこに実がなっていくのかよそうしてみましょう。

花がさくようす

つぼみがふくらみ、がくのあいだからきいろい花が見えてきました。

花びらがひらいて、きれいなきいろになってきました。

ふさ（花房）のつけ根の花からさきはじめます。これから先にむかって、花がつぎつぎにさいていきます。

花のしくみ

花はがくやかべん、めしべ、おしべ、しぼうからできています。花のおしべの先にあるやくがやぶれ、かふんが出ます。かふんがめしべの先（柱頭）につくと、じゅふんしてタネができます。タネがじゅくすまで、しぼうが大きくなってタネをつつんでいます。じつは、みなさんが食べているミニトマトは、大きくなったしぼうと、その中にあるタネなのです。

花をぶんかいします。

がくとめしべ

ふくろの中に、おしべが入っています。

じゅふんはだれがやっている？

実がついた

タネまきから
60~75日目

じゅふんしたら、実がつきはじめます。小さなミニトマトができはじめているのがわかります。花のふさ（花房）のつけ根のほうから実が大きくなります。

ミニトマトが色づいてきました。

実ができはじめる

しぼうがふくらんだ小さな実ができはじめます。

花びらがかれる

実がだんだん大きくなってきます。花びらは実についたままかれていきます。

実が色づいてくる

花がさいたじゅんばんで、実も大きくなり、色もついてきます。

かんさつのポイント

かんさつするポイントを考えてみましょう。
花は本葉がなんまいになったらさくのか、ミニトマトのせの高さや、実がついてきたら、どのようなじゅんばんで色がかわっていくのか……どこにちゅうもくするかを考えるところから、かんさつははじまっています。

大きくせいちょうしたミニトマトの高さは1mをこえています。せいくらべをした写真をとれば、はっぴょうの時にわかりやすくつたえられるね。

赤くなるまでには800℃!

ミニトマトの実はどれくらいで赤くなるのでしょうか?
毎日のへいきん気温をたしたものを積算温度といいます。ミニトマトはじゅふんしてから、せきさんおんどがだいたい700～800℃くらいで赤くなるのです。毎日の気温をきろくして、赤くなる日をよそうしてもおもしろそうですね。

しゅうかくしょう

タネまきから
90~100
日目

実が赤くなったら、やさしく実をつまんで、よこにたおしてみよう。がく（へた）ごととれたかな、それとも実だけとれたかな？

やさしくしゅうかくする

ゆびでつまんで、かるくよこにたおすとミニトマトがとれます。

あじわおう

少しみどりのもの、赤くなったばかりのもの、赤くなってから３日ほどしてからしゅうかくしたものなど、あじをくらべてみましょう。

実のかんさつ

ミニトマトの中を見てみましょう。へたをうえにしてよこにきったもの、たてにきったものをくらべてみよう。

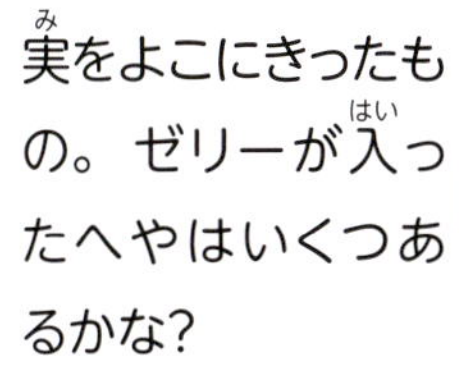

実をよこにきったもの。ゼリーが入ったへやはいくつあるかな?

実をたてにきったもの。中にタネがあるのが見えるかな。

写真やスケッチできろく

写真さつえいをしてみましょう。また、スケッチもおすすめです。スケッチをすると、こまかいところまでよくかんさつできます。

おもさをはかる

しゅうかくした時に、ミニトマトのおもさをはかってみよう。その日しゅうかくしたミニトマトすべてのおもさもきろくしてみましょう。

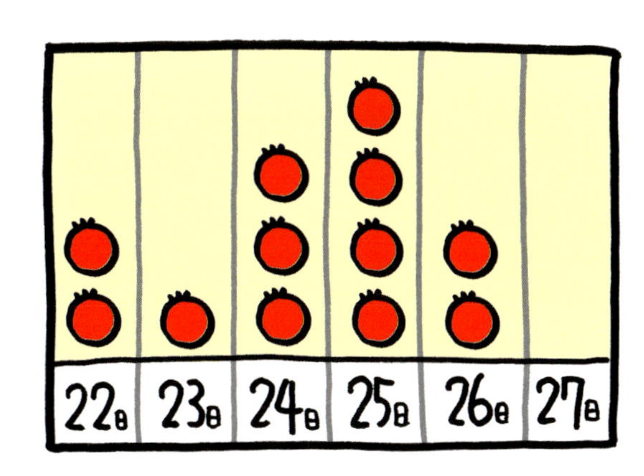

いくつとれたかきろく

とれたかずをきろくして、グラフにしてみましょう。

しんをとめる・かたづけ

タネまきから 120日目

ミニトマトのせたけがしちゅうより 10cm ほど大きくなったら、さいばいもおわりです。くきのてっぺんをきって、しんをとめます。ついている実がぜんぶ赤くなり、しゅうかくがおわったらさいばいのおわりです。水やりをやめて、しばらくしてかれたらかたづけます。

くきのてっぺんをきる

ミニトマトのてっぺんをハサミできります。

茎をきってたばねる

ゆういんしていたひもをはずします。茎は捨てやすい大きさにきってから、たばねて捨てます。すんでいるちいきのルールにしたがいましょう。

土はどうする？

のこった土もすんでいるちいきのルールにしたがって捨てます。お家ににわがあれば、木の根もとやかだんにまぜてもいいです。土にたいひやふようどをまぜてから、少し時間をおいてリサイクルすれば、またその土でさいばいすることもできるぞ。

ミニトマトはどこまでのびる？

虫・病気

ミニトマトは、葉や実が虫に食べられたり、病気にかかることがあります。ミニトマトの元気がないとおもったら、虫や病気になっていないか見てみましょう。

アブラムシ

植物のしるをすったり、ウイルスなどの病気をうつしてミニトマトをよわらせてしまいます。

ハモグリバエ（エカキムシ）

葉にたまごをうんで、生まれたよう虫が葉の中を食べすすみます。食べたあとが絵のように見えるから「絵かき虫」ともいいます。

病気・しょうがい

モザイクびょう

葉の色がモザイク状にうすくなるモザイク病は、アブラムシがウイルスをはこんでくるのがげんいんです。

しりぐされびょう

ミニトマトの先がくさってしまう病気です。土の中のカルシウムがたりなかったり、かわきすぎがげんいんといわれています。

ミニトマト新聞

2024年
11月1日　1号
発行　誠文堂新光社
わくわく園芸編集部

げんさんちはアンデスさんみゃく

トマトのげんさんちはなんべい（ペルー）のアンデスさんみゃく。ひょうこうが高く、かんそうしたちいきといわれている。コロンブスがだいこうかいでヨーロッパにもちかえり、そこからせかいにひろがった。やがて、アメリカにもつたえられ、日本にはシルクロードをたどりながら中国からつたわったといわれている。日本につたわったのは、えどじだいのこと。

トマトの名前

トマトがヨーロッパにつたわった時は「きんのリンゴ」とか「あいのリンゴ」とよばれていた。えどじだい、日本では「あかなす」とか「ばんか（蕃茄）」とよばれていた。いまでも中国では、「蕃茄」とかく。中かりょうりのトマトとたまごのいためものは「蕃茄炒蛋（ファンチェチャオダン）」という。

トマトのしゅるい

ひんしゅかいりょうによって、さまざまなトマトが作られてきた。大だまトマト、中だまトマト、ミニトマト、かねつようトマトなど、大きさや色、えいようせいぶんのちがうものなど、さまざまなしゅるいがかいはつされている。

リコピンがおおい

ミニトマトにはビタミンAやビタミンC、カリウムといったえいようがふくまれている。ミニトマトのあかいいろのもとになっているのは、リコピンというせいぶん。

ミニトマトのなかま

ミニトマトは「ナス科」というなかま。ナス科には、ジャガイモ、ナス、トウガラシ、ピーマンなどがある。せかいでいちばんたくさん作られているのはジャガイモ、次にトマトとつづく。ナス科のワン・ツーフィニッシュだ。

はっぴょうする・つたえる

ミニトマトをさいばいして、かんさつしたり、かんじたりしたことをまとめてはっぴょうしてみましょう。ここではポスターの作りかたをしょうかいします。きろくしてきたメモや写真をもとに、大きな紙にまとめます。29ページのポスターもさんこうにしてみましょう。

さいばいのけいかをつたえる

きろくした時に日にち、へんかをしるしていたね。それを使って、さいばいのけいかをつたえよう。

写真やスケッチをかつようする

さいばいのようすを写真やスケッチで見せるとわかりやすいです。

ぜんたいと小さなところをうまく見せる

せいちょうがわかる植物ぜんたいのすがたと、毎日かんさつしなければわからない、こまかいへんかをりょうほうつたえよう。

グラフを作ってみよう

せたけや葉のまいすう、しゅうかくした実のかずなど、すうじをきろくしていたものはグラフにしてみよう。

ふりかえり

さいばいがおわって、うまくいったところ、ぎゃくにしっぱいしたところなどもふりかえってみよう。「水をもっとあげればよかった」、「実が赤くなった時はうれしかった」などふりかえることで、次のさいばいにいかすことができるでしょう。

ミニトマトのさいばい

わくわく園芸部
ミニトマト班

せいちょうのきろく

タネまき

まびき

うえつけ

花がさいた

実ができた

しゅうかく

かんさつ＆気づき

ちかくで見たら葉っぱに「毛」があった

ひりょうをあげたら2〜3日でもりもり元気になって花がたくさんさいた！

葉っぱのうらに虫がいた！

タバココナジラミのようちゅう

なったまま赤くじゅくしたほうがよりあまい

しゅうかくできたかずをグラフにしたよ

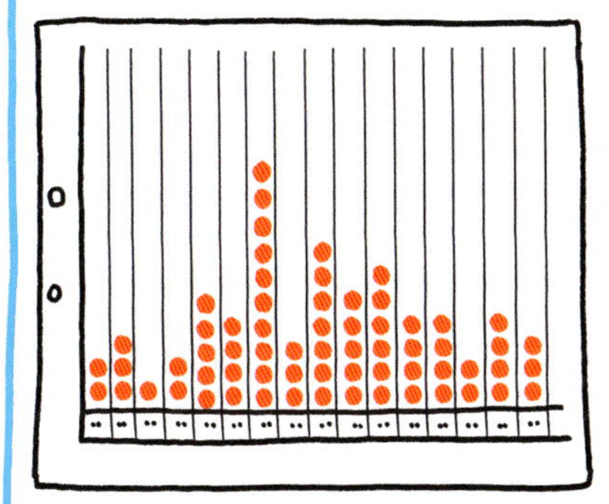

ちしき

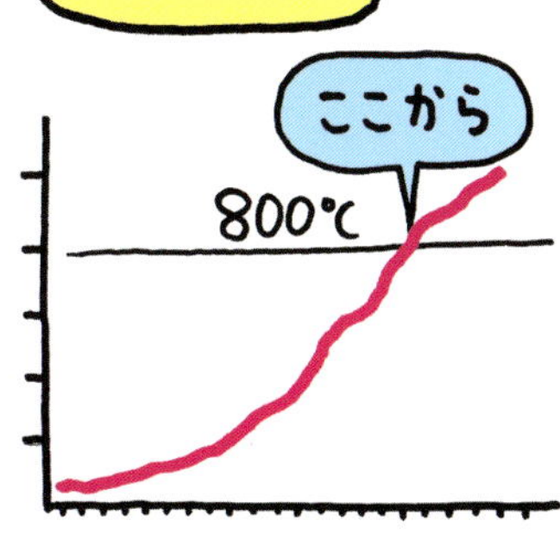

ミニトマトが赤くなるめやすは1日のへいきんきおんをたしたごうけいが **800℃** になった時

1本のミニトマトから65個もとれました！

さいばいをふりかえる～おわりにかえて～

しおれた葉っぱも
水をあげたら元気になった！
ひりょうをあげたら
ぐんぐん大きくなったよ！
ふたりとも
たくさんのことに
気がついたね
すごいぞ！
パチパチ
ゴロゴロ
これはボクからの
プレゼント！
ミニトマトのタネだよ
やったー
来年もおいしい
実をたくさん
しゅうかくするぞ！
またねー

清水俊英（しみずとしひで）

1963年神奈川県川崎市生まれ。自然に囲まれて育ち、植物や昆虫が好きになる。1987年岩手大学農学部畜産学科卒業後、株式会社サカタのタネ入社。芝草種子の営業、造園緑花部緑花課長、資材統括部長、コーポレートコミュニケーション部長を経て、現在、同社理事。認知症予防専門士、樹木医、造園施工管理技士一級、グリーンアドバイザー。人と植物がゆるやかにつながり、両方が幸せに生きていける社会の役にたちたいと考えている。

イラスト・マンガ	坂木浩子
写真	徳田悟
	清水俊英（栽培写真）
	HP 埼玉の農作物病害虫写真集　新井眞一（P26 下段）
表紙・本文デザイン	中澤明子
校正	株式会社文字工房燦光
協力	降旗大樹

マンガと写真でよくわかる

わくわく園芸部① ミニトマト

2024年11月16日　発　行　　　NDC620

著　　者　清水俊英

発 行 者　小川雄一

発 行 所　株式会社 誠文堂新光社

〒113-0033 東京都文京区本郷 3-3-11

https://www.seibundo-shinkosha.net/

印刷・製本　株式会社大熊整美堂

ISBN978-4-416-52413-8

かんさつシートをかこう

かんさつした日づけとてんきを書きます。

学ねんや組、なまえを書きます。

かんさつシート　2年　1組　なまえ　ふりはた　だいき

7月　1日（月）てんき　はれ

テーマ　ミニトマトの花がさいた

ミニトマトのようすや、どんなおせわをしたかなど、テーマ（だい）を書きます。

植物のようすをスケッチします。しっかりかんさつして、こまかいところまでかいてみましょう。色をつけるとわかりやすいです。

ミニトマトの花がさいた。花びらは、ほしのようなかたちをしていた。まん中にはふくろのようなものがあった。

気づき
花の下にあるミニトマトのへたのようなものは「がく」なのか。

かんさつしたことをことばでメモします。大きさや色、かたち、かず、植物をさわったり、ちかづいてにおいをかいだり、どのようにかんさつするかはキミしだい！

かんさつやおせわするなかで、へんかがあったことや、はっけんしたことを書きとめておきます。